sebastião nunes
delirante lucidez

organização e textos
gustavo piqueira

O esvaziamento de algumas palavras é prática característica dos dias correntes. Transformadas em mero bordão e utilizadas em excesso, elas logo perdem sua essência genuína, o significado responsável por sua difusão. "Guerrilha" é um bom exemplo. O termo não apenas vem sendo empregado à larga no ativismo inofensivo das redes sociais como deu origem a verbetes que, de tão disparatados, beiram o inacreditável. Como "marketing de guerrilha".

Já outras parecem ter caído em total desuso, tamanho seu sumiço de nosso dia a dia. "Coerência" é uma delas. Em tempos de hiperexposição, de consumo rápido e superficial, aferrar-se a suas convicções parece atitude das mais démodées.

Mas este livro destaca um artista que consegue avocar os qualificativos acima sem constrangimentos: Sebastião Nunes, que há cinquenta anos vem criando uma das mais originais, combativas e coerentes obras literárias do Brasil.

Sebastião escreveu, ilustrou, diagramou, produziu e distribuiu seus livros. Poesia, prosa, ensaios. Desenhos, fotos, colagens, gravuras antigas. Misturadas ou isoladas, intactas ou avacalhadas. Para cada obra, que ele já chegou a definir como "objetos intersemióticos", uma receita única. "Na parafernália gráfica de minha poesia, houve de tudo: cartazes, folhetos, envelopes recheados de papéis de todas as formas, e até livros parecidos com livros." Com impiedoso sarcasmo, disparou sua verve crítica contra a mediocridade da classe média, o pedantismo da autoproclamada elite cultural, a pobreza intelectual e a padronização de comportamentos ou de ideias.

Sem se prender a regras, foi da mais absoluta desconstrução do objeto livro a formatos ultratradicionais. Da quase total predominância da imagem a textos puros. Da extrema erudição aos mais escancarados palavrões. Nenhuma das grandes editoras para as quais enviou originais aceitou publicá-lo — rendendo passagens hilárias, que ele costuma contar em entrevistas. Recusou-se a participar de eventos literários badalados. Recusou-se a ceder um milímetro que fosse de sua liberdade. A abrir mão de suas convicções. Só se desviou de seu caminho quando quis, para abrir novos. Estar diante dos livros de Sebastião Nunes é admirar a obra de um criador radical como poucos.

Nota muito importante: os erros de português
não são erros de português.

Nascido em 1938, na pequena Bocaiúva, em Minas Gerais, Sebastião Nunes muda-se para Belo Horizonte ainda adolescente. Na capital mineira, entra na faculdade de publicidade, que abandona mesmo tendo começado a trabalhar na área, e, posteriormente, na de direito, que conclui sem nunca vestir a toga. Durante o período, elabora cartazes para o movimento estudantil, escreve contos e poesia e conhece outros jovens com quem divide afinidades literárias.

A incipiente produção encontra uma trilha própria no emblemático ano de 1968. "Eu estava sozinho de noite, deitei na sala e resolvi montar um poema. Era texto, montado com letraset, ilustração, fotografia, recortes de imagens fotográficas e rabiscos de desenhos meus em cima. Foi o meu primeiro poema que deu certo. Nem sei qual poema era esse, se foi publicado nem onde ele está. Quando acordei, porque dormi no chão, ao lado do poema, acordei bêbado feito uma vaca e disse: meu caminho é esse aqui, é isso que vou fazer. Estava lá. Era uma mistura de texto, desenho, e fotografia, coisa que fui fazer o resto da vida." Sebastião se encontrava, então, "numa trifurcação de influências poéticas: concretistas no Brasil e na Alemanha, beatniks e dadaístas". Estes últimos seriam, sem dúvida, aqueles que mais marcas deixariam em seu trabalho posterior — não através de nomes ou vertentes específicas, mas no espírito geral, permeado pela liberdade anárquica e incorporação do humor como ingrediente-chave da criação. Sua lista de referências, porém, extrapola universos restritos, sejam estes de linguagem, correntes estéticas ou ideológicas. Em uma entrevista sobre a formação de seu repertório, listou Buñuel, Bergman, Godard, Bosch, Klee, Miró, Rimbaud, Corso, Ginsberg, João Cabral, Joaquim Cardozo, Bach, Mozart, Villa-Lobos, Ionesco, Beckett, Steinberg, James Thurber, Millôr, Kafka, Camus, Joyce, Faulkner, Proust, Borges, Graciliano, Dalton Trevisan e Clarice Lispector. Além de encerrar com alguns "etcetera".

A aversão a movimentos, aliás, seria marca de sua trajetória. Participou de exposições vinculadas ao Poema Processo, mas evitou alistar-se nessa ou em qualquer outra facção. "Liberdade de criação é incompatível com grupos ou escolas." Em vez de blocos, Sebastião prefere pinçar participantes específicos que admira, como Moacy Cirne ou Wlademir Dias-Pino e, dos concretos, Décio Pignatari.

Os duzentos exemplares de seu primeiro livro, **Última Carta da América**, dezesseis folhas grampeadas, publicado também em 1968, foram impressos com recursos próprios. "Eu mesmo teria de bancar meus livros ou seria apenas mais um inédito eternamente." O aspecto financeiro, porém, não explica tudo. "Também não queria que ninguém desse palpite no meu trabalho, tanto que quase nunca mostrei nada a ninguém antes da publicação."

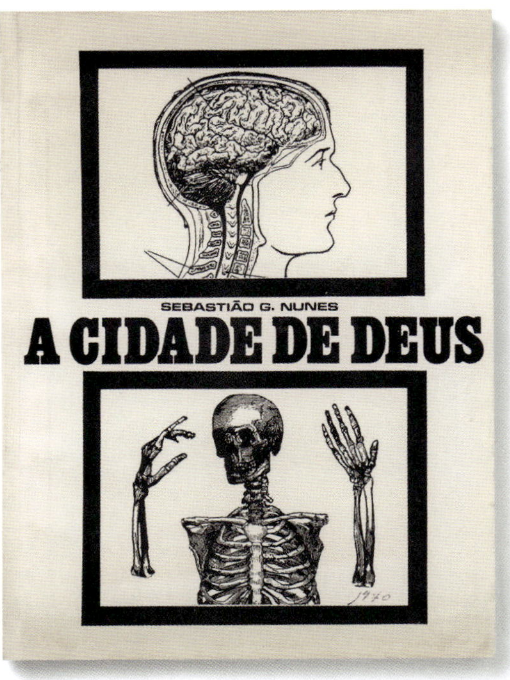

A Cidade de Deus *(1970)*

A Velhice do Poeta Marginal *(1983)*

Poema de
A Cidade de
Deus *(1970)*

1. o primeiro passo: a síntese reveladora.

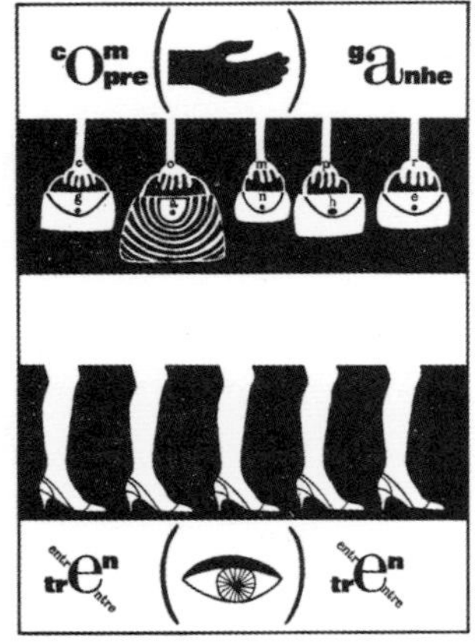

13

2. TRATADO ACÊRCA DAS VANTAJOSAS OFERTAS
COMERCIAIS: LIQUIDAÇÃO DE SALDOS.

14

3. SÚBITO: TERÍAMOS OUVIDO UM GRITO? OLH
AMOS E VEMOS: EIS QUE O VITRINISTA PREPA
RA PAINÉIS PARA MELHOR EXIBIR A NOVA E E
SPETACULAR LINHA DE GELADEIRAS.

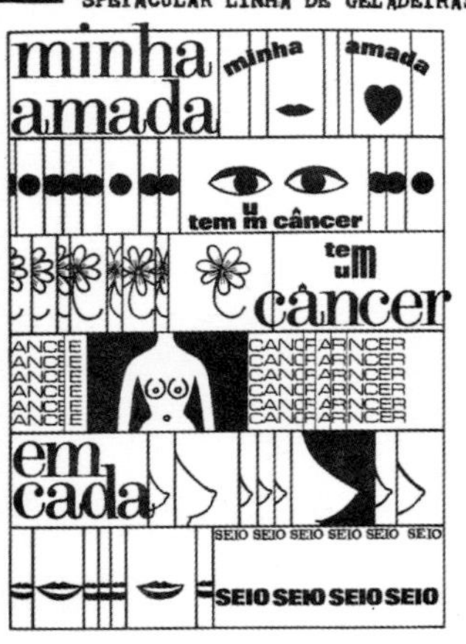

15

4. NÃO OUVIMOS NADA, ISTO É: OUVIMOS MUI
TO: ENSAIO EM QUE SE TRATA DO VOCABULÁRI
O ESPECÍFICO.

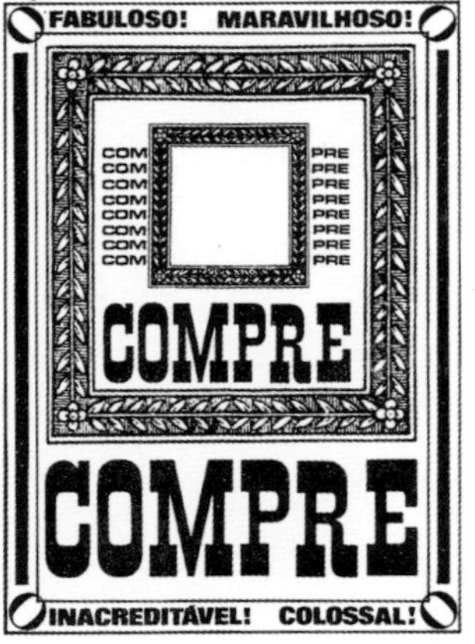

16

5. DA ADMISSÃO AO EMPRÊGO DE BALCONISTA
NAS LOJAS DE VAREJO: OS RIGOROSOS TESTE
S DE SELEÇÃO.

17

6. O DILEMA DA HEROÍNA: OS TEMAS MAIS A
NTIGOS: AS NECESSIDADES INCONCILIÁVEIS.

18

7. HAPPY END: A CELEBRAÇÃO DO CONTRATO.

19

Já para a impressão do segundo, **A Cidade de Deus**, de 1970, adotou uma nova estratégia e escreveu para uma lista de nomes que, imaginou, poderiam se interessar pela obra. Para sua surpresa, recebeu 150 respostas positivas, que auxiliaram na produção dos mil exemplares do livro. Ele adotaria esse modelo para o financiamento de quase todo o seu trabalho posterior, inclusive aqueles lançados pelo selo editorial que criou em 1980, Dubolso (nome que dispensa maiores explicações).

A exploração gráfica do objeto livro assume substancial destaque em seus primeiros seis projetos. Sebastião combina texto e imagem em busca da fusão dos dois num único discurso, assim como parte de desenhos, fotos e antigas gravuras para explorar as múltiplas possibilidades de execução da linguagem visual.

Em **Finis Operis**, de 1973, um envelope em papel kraft barato contém uma série de poemas em formatos diversos. Na obra, a imagem — tanto a imagem figurativa propriamente dita quanto a dimensão pictórica do texto — ganha ainda maior protagonismo, movimento crescente que culminará no livro seguinte, **Zovos**, de 1977, quase todo escrito em linguagem visual. Dali para a frente, considerando esgotado esse veio de exploração, ele passaria, gradualmente, a conferir proeminência ao texto, trazendo um discurso cada vez mais afiado, uma mira cada vez mais precisa. Além dos inevitáveis contratempos: a quantidade de palavrões do livro-cartaz **O Suicídio do Poeta**, de 1978, fez com que muitas gráficas se recusassem a imprimi-lo.

Mas sua irreverência nunca se limitou à subversão de regras e formatos: Sebastião Nunes brinca com textos, mistura português moderno ao arcaico, burila palavras incompletas e encaixa palavrões com impecável apuro. Joga com o subtítulo de algumas obras, paratextos que, em tese, deveriam esclarecer o conteúdo ao leitor. **Zovos** é apresentada como "novela metafísico/sentimental, tratado místico/paranoico, ensaio afrodisíaco/patológico, poema lúdico/configu-

Capa e páginas de Zovos *(1977)*

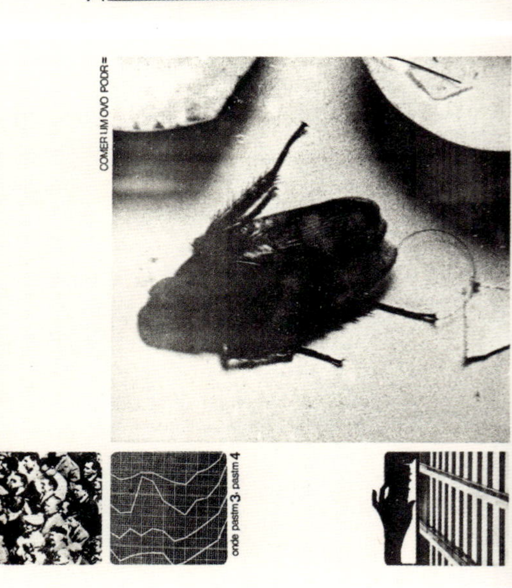

racional". Os poemas de **Papéis Higiênicos**, "estudos sobre guerrilha cultural e poética de provocação". Como prova de que nada escapa de sua insolência, ele também zomba do que há de mais sagrado para o ego de um autor: seu próprio nome impresso no livro. Durante estes cinquenta anos, Sebastião Nunes já foi Sebunes Tião, Bastião Nu, Sabião Bestunes, Sebastunes Nião. Entre outros.

Seria quase impossível que o fato de ter iniciado sua produção num período tão fervilhante não deixasse vestígios em seus primeiros livros. Mas é fácil perceber como, desde o princípio, uma voz individual se empenha em fugir dos enquadres vigentes. Essa busca por uma sintaxe verbovisual própria fica patente num traço peculiar de seu trabalho, o reúso de imagens criadas por ele mesmo. Em **A Cidade de Deus**, surge aquela que seria uma de suas imagens mais recorrentes, o perfil de uma cabeça humana cujo cérebro é devorado por ratos — depois tornado símbolo de seu **Decálogo da Classe Média** e também presente em **A Velhice do Poeta Marginal** ou na capa de **Adão e Eva no Paraíso Amazônico**. Não é exceção: imagens de **Zovos** reaparecem em **Somos Todos Assassinos**, as silhuetas de pernas femininas de **Finis Operis** ressurgem em **Zovos**. Sem a obrigação de repetirem a mesma função, o mesmo significado. Quase como se constituíssem uma gramática exclusiva do autor, que pode, então, passar a articular seus elementos livremente.

Poema de Finis Operis *(na versão rediagramada impressa em* Antologia Mamaluca*, 1989)*

Serenata em B Menor

1979
FOLHETO COM DUAS DOBRAS
20 X 22 CM FECHADO
60 X 22 CM ABERTO

A obra encerra a fase de maior exploração em termos de formato do objeto. Sobre fotos de um corpo jogado na rua, Sebastião compõe um poema carregado de forte crítica social. "As fotos são minhas, inclusive a revelação. Eu morava então em Sereno e tinha um laboratório P&B em casa. Varava madrugadas lá dentro. E o 'defunto' era só um bêbado escornado."

"o bio de baneiro bontinua bindo."
bilberto bil

avenida atlântica

belas bundas tropicais abanam.
fofas babacas farfalham.
vento solar encrespa picos e ralhos.
um milhao de paraíbas na punheta.

avenida vieira souto

ao sol de ipanemolimpo
-jardim de glórias e dólares-
a cambada desvairada come gordo
e limpa os dedos no cu nativo.

avenida delfim moreira

o mar é feito de chope.
maconha cai do céu.
buceta dá em árvore.
quem tem dinheiro faz milagre.

avenida suburbana

sobe assaltante às carreiras.
desce assaltado a galope.
a polícia saqueia os mortos.

avenida rio branco

português fode paraibano.
baiano enraba cearense.
carioca fode pernambucano.
mineiro enraba piauiense.
goiano fode amazonense.
gaúcho enraba carioca.
paraense fode alagoano.
e etcetera e viceversa porque
nessa infinita suruba capitalista
quem pode fode e quem nao fode
dança.

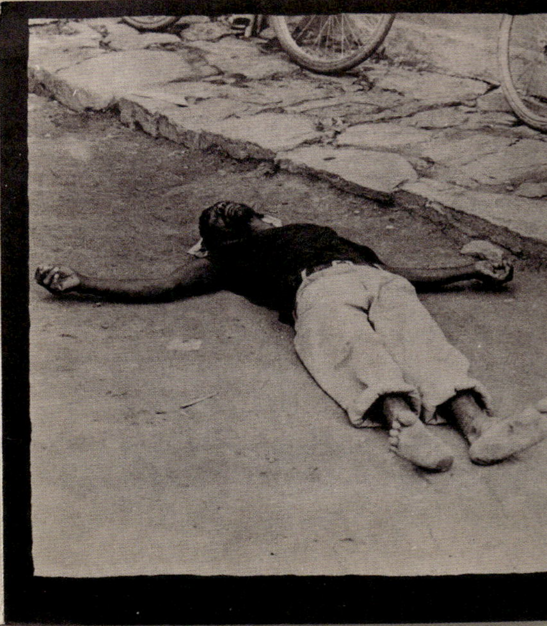

"o bio de baneiro bontinua bindo."
bilberto bil

avenida atlântica

belas bundas tropicais abanam.
fofas babacas farfalham.
vento solar encrespa picos e ralhos.
um milhão de paraíbas na punheta.

avenida vieira souto

ao sol de ipanemolimpo
-jardim de glórias e dólares-
a cambada desvairada come gordo
e limpa os dedos no cu nativo.

avenida delfim moreira

o mar é feito de chope.
maconha cai do céu.
buceta dá em árvore.
quem tem dinheiro faz milagre.

avenida suburbana

sobe assaltante às carreiras.
desce assaltado a galope.
a polícia saqueia os mortos.

avenida rio branco

português fode paraibano.
baiano enraba cearense.
carioca fode pernambucano.
mineiro enraba piauiense.
goiano fode amazonense.
gaúcho enraba carioca.
paraense fode alagoano.
e etcetera e viceversa porque
nessa infinita suruba capitalista
quem pode fode e quem não fode
dança.

"a vida é luta renhida."
bonçalves bias

pois querem lá saber uma berdade?
pra butaquebariu vossa cidade.
há guerras bem mais justas que as lutas
a que vos obrigaram como putas.

"melhor, combateremos à sombra."
leônidas, o temerário

sereno

até a morte é mais fácil
na funda miséria serenal.

só enquanto recupero o fôlego.
rio78/sereno79

Somos Todos Assassinos

1980
80 PÁGINAS
20,5 X 27 CM

Narrativa construída por meio da sequência de fictícios anúncios publicitários, o livro é sua primeira obra em prosa. Sebastião fez da publicidade seu ganha-pão dos anos 1960 até 1995, quando, após diversas idas e vindas, abandonou de vez a atividade. Ele não nega que o trabalho nas agências funcionou como um tipo de "escola técnica" para o desenvolvimento de sua obra: "Sem dúvida, fui muito influenciado pela minha experiência publicitária, profissão que sempre detestei pela sua absoluta mediocridade, mas que me capacitou tecnicamente para toda a minha obra, poética ou não. Fui tipógrafo, fotógrafo, arte-finalista e diretor de arte, além de redator e diretor de comerciais para rádio e televisão". Mas sua relação com a atividade nunca esboçou o menor sinal de entusiasmo. "Eu geralmente pedia demissão ou era mandado embora das agências depois de um ano e pouco, pois eu e a publicidade nos odiamos à primeira vista. Com as indenizações, ficava entre três e quatro meses só na criação de meu trabalho." O olhar corrosivo que lança sobre a futilidade do universo da propaganda em Somos Todos Assassinos não deixa dúvidas disso. Com maior ou menor grau de protagonismo, a publicidade ressurge em outras obras de Sebastião como um dos grandes símbolos de toda a indigência intelectual que nos assola.

MAIS UMA ESTÓRIA DO POVO BRASILEIRO.

O Diretor superintendente da poderosa organização varejista se debruçou na janela do luxuoso apartamento da Avenida Atlântica com um copo de uísque na mão. Eram dez horas da noite quando, afinal, conseguira livrar-se do dono da agência que teimava em ver aprovado um absurdo plano de mídia pro Natal.

"É por causa desses filhosdaputa que eu não suporto propaganda. Com uma mão puxam o saco, com outra mão batem nas costas, com outra mão tapam o sol, com outra mão oferecem a caneta e com o rabo fazem sombra na hora do contrato".

Bebeu um longo gole e acendeu um cigarro escuro, bem no estilo pictórico-sentimental dos velhos romancistas realístico-lagrimogenosos.

"Quando será que vão me deixar em paz?" Perguntou-se se tal pergunta não seria mais adequada a um velho funcionário aposentado, mas concordou que também no seu caso era adequada. Afinal, você jamais conseguirá escapar das garras dos urubus da comunicação, qualquer que seja seu nível social ou seu poder de decisão. "Quando eu morrer, talvez. Mas quando eu morrer vão puxar o saco de minha mulher e depois de meu filho e depois de meu neto até a milésima geração. Vão publicar grandes anúncios fúnebres em nome da agência e vão divulgar enormes campanhas institucionais de louvação à minha inteligência, ao meu talento administrativo, à minha visão social".

Cuspiu lá em baixo e esperou, como uma criança, que a cusparada acertasse na cabeça de alguém.

"Decerto vão esquecer as sacanagens que fiz com eles, vão esquecer tudo porque só querem o meu dinheiro e farão tudo por ele."

Ficou olhando o mar escuro e a praia quase vazia e lembrou da primeira entrevista com o tímido dono da agência, no meio da enseada de Botafogo.

"O babaca pensou que eu ia mesmo comer a bunda dele e estava disposto a deixar. E quando eu disse que comi muito a mãe dele, o idiota ainda riu. E quando empurrei ele pra dentro dágua, nem assim o filhodaputa reagiu. Como negar-lhe a conta?"

A noite estava muito quente, mas não ligou o ar condicionado, bastava o gelo no copo e o conchavo das vozes lá em baixo, o bar da calçada com todas as mesas ocupadas e cantores e músicos e engraxates e pivetes esperando uma boca, uma boca, uma boca, uma boca, uma boca.

O PROGRESSO VOCÊ É QUEM FAZ.

Vim de Pernambuco sem emprego e sem coragem, mas meu pai era rico e estudei administração de empresas na PUC e doutorei-me nos Estados Unidos.

Voltei dos Estados Unidos magro e desanimado, mas ganhei apartamento no Leblon, cartões de crédito e pequeno carro esporte italiano.

Instalei-me na profissão como um estrangeiro, mas a carta de recomendação de meu pai encaminhou-me ao ministro que por sua vez me encaminhou ao presidente do conselho da poderosa multi de refrigerantes.

Produto por produto todos são iguais e finalmente, aos 26 anos de idade, iniciei minha carreira profissional, como assessor da Diretoria de Marketing.

Fodi e fui fodido, sacaneei e fui sacaneado, humilhei e fui humilhado, puxei mil sacos e fiquei com o saco doente de tanto ser puxado. Mas afinal, aos 28 anos, pedi demissão da poderosa multi de refrigerantes a convite da poderosa multi de computadores.

Aos 30 anos, chego ao ponto mais alto da carreira, como Diretor de Marketing para a América Latina, e estou pressionando meu Presidente para que pressione o Governador de maneira que eu seja pressionado para aceitar a Secretaria da Indústria e Comércio no próximo governo.

Eles sabem que podem contar comigo da mesma maneira como eu sei que posso contar com eles, porque uma mão lava a outra e o progresso exige sacrifícios e desprendimento pessoal, como se diz gaiatamente por aí.

E agora, neste exato momento, quando me preocupo com este informe reservado à Presidência sobre o comportamento perigoso da fabriqueta brasileira que vem infringindo as regras do jogo, tenho de interromper trabalho tão importante para receber esse bando de idiotas da STA, que vem tentar me vender mais uma campanha, que eles nunca conseguem fazer direito.

A voz seca, dura, impessoal (ao interfone:)
– Manda entrar. Manda servir café e água. Favor me interromper dentro de 15 minutos com um chamado urgente da Presidência.

é outra coisa.

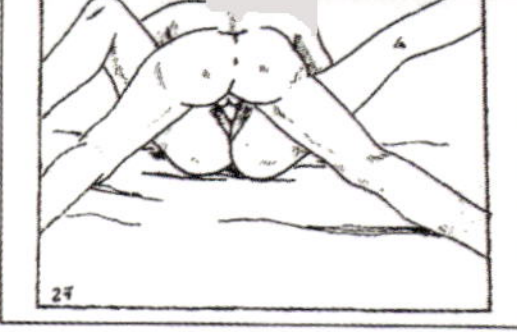

Tudo que o amor pode dar.

VOCÊ JÁ CONTOU SUA MENTIRA HOJE?

Colaboração da STA, para maior glória do.

Rumo ao sucesso.

EMPACOTE SEU PRÓPRIO LIXO.

SABE QUEM VEIO PRO JANTAR?

Você não vai morrer de raiva, vai?

Venha para o universo dos símbolos.

Tudo o que ninguém jamais desejou saber nem houve quem soubesse explicar direito.

OU ESTE CASO É UM MILAGRE OU ESTE TEXTO É UMA MENTIRA.

As duas faces da felicidade

Examine o ovo de Colombo.

Os professores de letras adoram discutir anúncios, filmes e cartazes de propaganda com seus alunos.

Utilizando técnicas apreendidas em Greimas, Chomski, Derrida, Lévy-Strauss e Umberto Eco, os proletras amam esmiuçar a estrutura superficial das mensagens que discutem.

Com alegria e orgulho, os alunos dissecam as peças como estudantes aplicados de anatomia e sonham fazer vestibular pra faculdade de comunicação e ingressar numa profissão tão fascinante que lhes permitirá apalpar com os próprios dedos o cérebro humano.

Os proletras, dessa forma, cumprem o papel de estropiados McLuhans ensolarados, enquanto seus débeis alunos fingem-se pequenos Goebbels de saias e calças Levi's.

Infelizmente, só alguns poucos professores de letras superaram o estágio do deslumbramento semiótico e descobriram, perplexos e ofendidos, quanta vida existe além da mera estrutura superficial.

E viram, como numa bola de cristal, o mago que faz girar a roda do mundo publicitário: um alto, louro e alegre executivo americano, feliz da vida por ter realizado o melhor lucro dos últimos 10 anos, graças ao esforço de comunicação elaborado pela STA, agência que se orgulha de conhecer a fundo a alma selvagem deste povo infeliz.

Yes, nós temos bananas e gênios.

Veja que belo negrinho lá no fundo do anúncio.

O negro não existe no universo feliz da publicidade brasileira.

Voltada para a conquista da classe média urbana branca, a publicidade reflete o orgulho racista que lateja no fundo da alma dos conquistadores brancos. Por isso, seu ícone favorito é branco, orgulhoso, bonito e feliz.

(Não cabe à publicidade, como porta-voz e ponta de lança do capitalismo, levantar problemas que ponham em risco o sistema. Ela se contenta em demonstrar o óbio, paternalizando o trabalhador idoso, o paraplégico, o canceroso, e arrecadando fundos para as crianças abandonadas pelo próprio sistema que financia intelectualmente.)

O negro não conta. E quando um negro sobe ao pódio para receber a glória de atuar como modelo, é como uma nota desafinada numa orquestra romântica. Ou como um rato transformado em lacaio pelas artes mágicas da madrinha da gata borralheira.

Sufocado pela falsa liberdade concedida por um racismo esquivo, o negro brasileiro continua sendo escravo em dobro: social e economicamente. E mesmo a publicidade, com todo o seu enorme poder de persuasão, jamais conseguirá transformar o negro operário de dentes podres no alegre e saltitante cliente do banco do guarda-chuva.

Papéis Higiênicos

1985
76 PÁGINAS
21 X 25,5 CM

Cada um dos sete poemas do livro lança mão de um diferente recurso visual, como antigas gravuras e fotomontagens, unificados por uma sólida estrutura formal, naquela que talvez seja a obra mais lírica de Sebastião. O livro foi concebido a partir de quatro poemas sobre pessoas sem conexão aparente, do poeta Augusto dos Anjos a seu pai, Levi Araújo Nunes, todos, segundo o autor, figuras patéticas pelas quais sentia forte empatia, que ele intercalou entre outras três narrativas "para que não ficassem juntos e se devorassem mutuamente".

"Enfisema Pulmonar", o poema dedicado a seu então recém-falecido pai, talvez seja a reprodução mais recorrente do trabalho de Sebastião em livros, artigos ou entrevistas.

a memória tem mais ossos que sensaç

joão cândido de souza morreu do mal-de-chagas sem nunca ter ido ao rio de janeiro chefiar a revolta dos marinheiros contra os abusos do poder sempre. pedro teixeira da silva ainda está vivo porque não foi ao nordeste onde o assassinaram por comandar camponeses contra latifúndios e ários. rui barbosa dos santos foi analfabeto, nunca fez discurso na europa nem tinha a cabecinha bagrelöe.

partem suaves voos pras cagadinhas nas caras duras. os defuntos rolam na poeira mortos de olho aberto pro sol que nem fe ligo

dia de eclipse do sol os meninos fugiram pra debaixo da cama. anoiteceu pras galinhas às 10 da manhã. velhas rezadeiras rezaram mil terços e mil ladainhas. os homens beberam a saideira. as mulheres-da-vida trancaram as periquitas. o mundo não acabou. foi só um aviso do céu.

mas não faz mal. todos tem mesmo morrer bem cedo do modo que ninguém também se importa muito com quem deita e rola mesmo são. quando lêem as histórias dos tabaréus os leitores da cidade sofrem deitados. pobres leitores desinfelizes eu também quero. um dia fico rico e mudo pra capital intelectual caralha!

estômagos e intestinos, pulmões e corações, músculos e tendões imensos auditórios. bilhões de micróbios realizam assembléias gerais: divisão de lucros e redistribuição territorial.

conforme o tempo aprende-se até a levitar.

os bois de barriga est
urubus: cozinha inter
primeira classe: ahan
mensagens urgentes
urubuzada na carniç

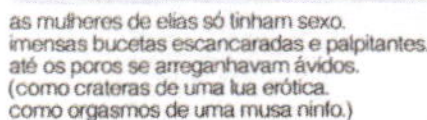

as mulheres de elias só tinham sexo.
imensas bucetas escancaradas e palpitantes.
até os poros se arreganhavam ávidos.
(como crateras de uma lua erótica.
como orgasmos de uma musa ninfo.)

elias pintava como se um bicho parindo.
pinga. pico. fumo. brilho. bodes infinitos.
elias entrava no inferno pela porta dos fundos.

depósito de presos. bairro lagoinha. belo horizonte.
assassinos. ladrões. loucos. bêbados. otários.
elias estava em casa e entre seus irmãos.

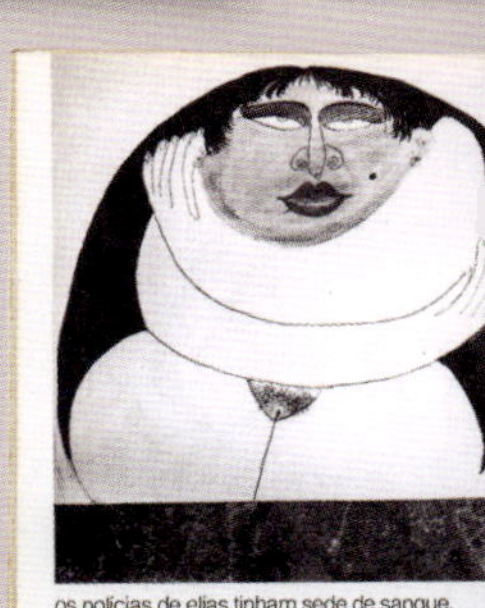

os polícias de elias tinham sede de sangue.
os polícias de elias matavam a fome na tortura.
toscos. rudes. esquemáticos. repelentes.
os polícias de elias sumiram nos porões da poli
primeira e única exposição fechada antes de a

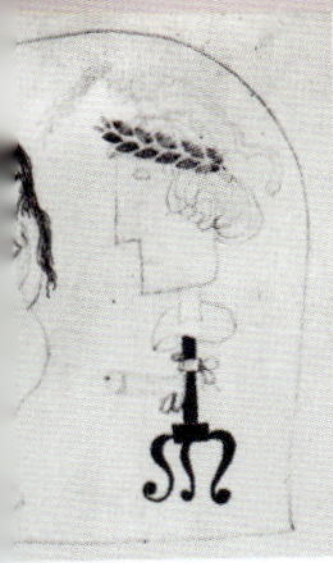

pinga pagava bem um quadro.
na pagava bem um quadro.
grelo pagava bem um quadro.
pagava bem um quadro.
brais de louco a troco de quase nada.

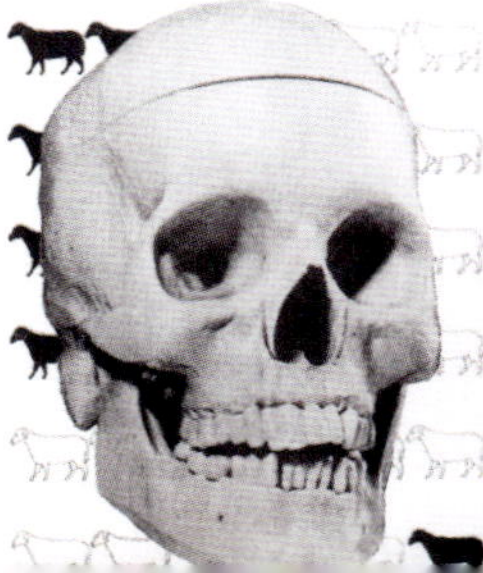

"Tuberculose Galopante"

9

COMEÇA O FILME MUDO.

cataguases. minas gerais. 9 de janeiro de 1929.
sábado. dia de baile. 10 horas da noite.
o poeta ascânio lopes vai morrer amanhã.

10

O VERMELHO E O NEGRO.

terno preto. camisa branca. gravata preta.
40 graus de febre. meio litro de cognac no sangue.
o poeta ascânio lopes está pronto pro baile.

11

OH RIO POMBA QUE PASSAIS.

na beira do rio o poeta pára.
na beira do rio o poeta vomita.
vomita uma feijoada completa de pulmões e sangue.

12

HAMLET VAI EM FRENTE.

troco a roupa? vou pra cama? encho a cara?
estupro uma menina? mato um bêbado? vou pra zona?
mal o século começa e já vou saindo.

13

TROCA TROCA TROCA.

sonhei um rimbaud modernista entre araras e tamanduás.
pensei um castralves bêbado e futurista.
e fico nisso: pedaços de bofe grudados na camisa.

14

TENHO 22 ANOS.

dentro de uma hora começa o baile.
alegres contorções alegres de bucetas alegres.
tensas piruetas tensas de caralhos tensos.
mães de mãos entrelaçadas estrangulando maridos.

15

RETROSPECTIVA.

tudo bem. então é o fim. vamos ao testamento:
lego aos urubus a carniça deste pulmão rasgado.

"Pneumonia Dupla"

poéticos urubus cagam
bem de cima
com pontaria de míssil.

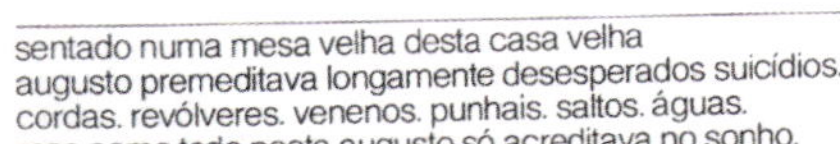
sentado numa mesa velha desta casa velha
augusto premeditava longamente desesperados suicídios.
cordas. revólveres. venenos. punhais. saltos. águas.
mas como todo poeta augusto só acreditava no sonho.

domingo na praça. bigodinho ao vento.
o severo poeta passeava de braço dado com dona esther.
de noite trepava solene. gemia fundo. suava.
e desperdiçava biliões de espermatozóides.

viveram cinquenta. sessenta. setenta anos. oitenta.
morreram de câncer. pneumonia. enfarte. velhice. tédio.
hoje não valem o preço do bronze no ferro velho.

durante quatro meses augusto sonhou a morte nesta escola.
e nem seu fantasma inútil passeia mais entre as ruínas.

homéricas risadas nos saraus dos advogados.
riem dos poemas malucos de um tal augusto dos anjos.
riem até as lágrimas pingarem nos bigodes pintados.
riem até irritarem os mortos no cemitério.
(assim leopoldina descobriu o terrorista augusto.)

não há nada escrito nesta parede branca de azulejos brancos.

67

Levi Araújo Nunes nasceu no Serro, MG, de onde fugiu aos 15 anos, depois de uma briga a tiros na qual feriu (ou matou) alguém, se minha avó Antoninha não estava delirando. Participou de duas ou três badernas militares, por idealismo, gosto de aventura e falta do que fazer. Me ensinou que preguiça e irresponsabilidade são grandes virtudes, mas exigem coragem e astúcia. Sempre quis que eu escrevesse como Guerra Junqueiro, o único poeta que admirava. Casou-se um dia antes da morte de minha avó Etelvina e, com as 4 vacas da herança, abriu uma venda em Bocaiúva, MG, onde se asilou para sempre

Enfisema Pulmonar

(Elegia rupestre para Levi Araújo, o menor dos Nunes)

69

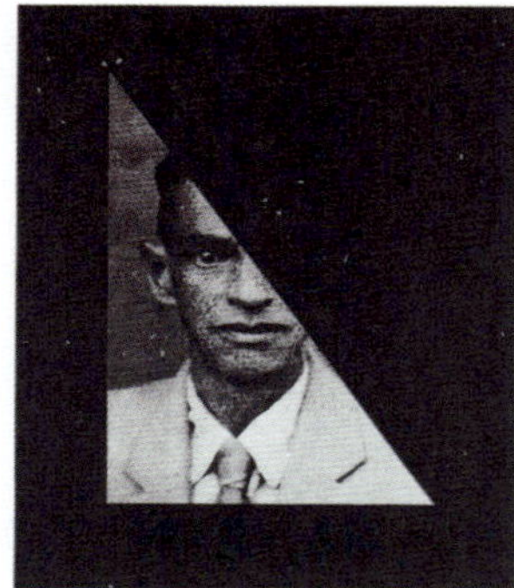

duas e meia da tarde. 10 de junho de 1984.
mãos secas. pés juntos. algodoais no nariz.
véu negro sobre o rosto: tímido noivo de vermes.
rotineira terra roxa sobre o cadáver de cera.

vai embora levi e seus 40 quilos de osso.
vai embora o enfisema: missão cumprida.
vão embora pescarias. cigarros de palha. tosses.
revólver na cintura. carteados. o olho de cobra.

o coveiro sua e pragueja: antes ele do que eu.
foi tudo muito rápido. silencioso. sem queixas.
1 metro e 58 e nunca confessou nada. nem a padre.
nunca pediu nada. nunca aceitou nada. nem de deus.

tão pequeno para um orgulho tão grande.
feroz como todos os pequenos. duro como diamante.
até que finalmente tudo passou - e nada.
que diferença faz? séculos ou mitos ou segundos:
grandes ilusões rastejam entre lagartixas.

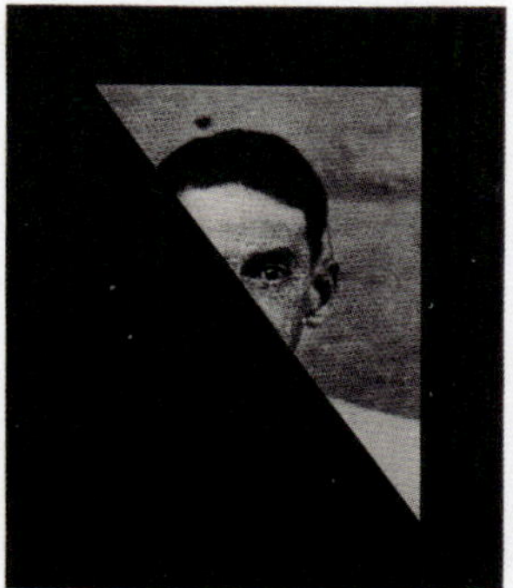

e então é verdade: então a vida não passa disto:
um sopro: um cisco no olho: um sopro: e nada.

Toda a sua obra poética foi reunida nas **ANTOLOGIAS MAMALUCAS**. Dois volumes lançados em 1988 e 1989, organizados em ordem não cronológica e rearranjados em função da necessidade de padronização dos formatos originais. A oportunidade da "*poda de coisas definitivamente ruins*" permitiu a Sebastião não incluir nas antologias alguns poemas presentes nas primeiras edições. Cada um dos volumes traz, também, um conjunto de trabalhos inéditos.

A publicação marca o momento em que Sebastião se declara um ex-poeta e abandona a poesia. "Não quero me repetir. Só isso."

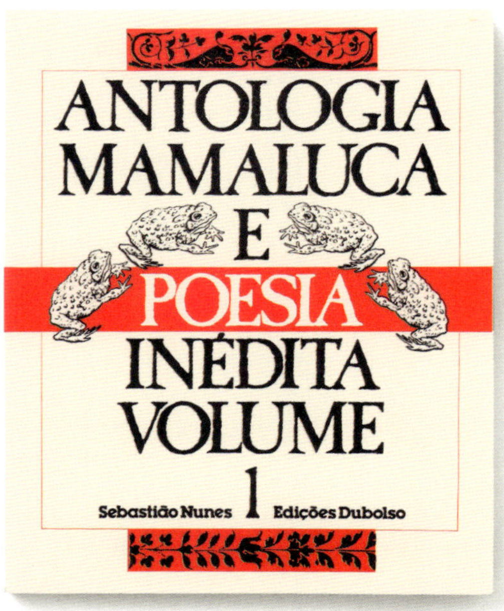

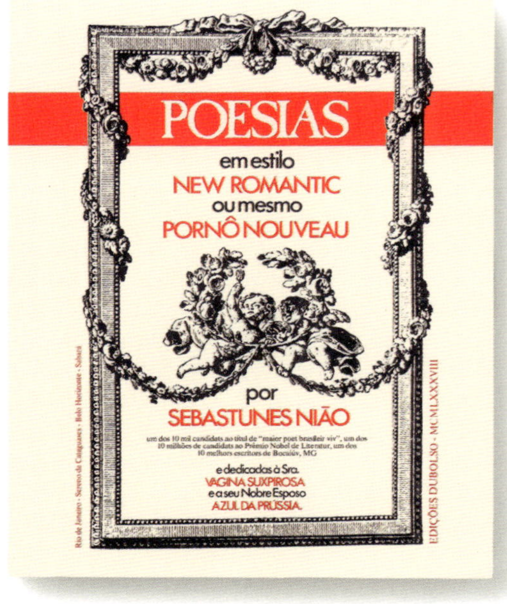

ANTOLOGIA
MAMALUCA
E
POESIA
INÉDITA
VOLUME
2
Sebastião Nunes
Edições Dubolso
AUREA
MEDIO
CRITAS
Ensaios Sobre a Metafísica do Poder
por
SEBASTUNES NIÃO
Philosopho Anarcho-Social-Utopista
e dedicados ao Sr.
JOÃO-NINGUÉM
e à sua Generosíssima Esposa
MARIA-VAI-COM-AS-OUTRAS.
Edições Dubolso

História do Brasil

1992
220 PÁGINAS
21 X 25,5 CM

Escrito em vários estilos e línguas diferentes durante dez anos, numa "gigantesca salada de citações, charadas, apropriações, truques verbais, interpolações do real no imaginário e vice-versa", o livro é composto por uma série de verbetes organizados em ordem alfabética, e não cronológica como normalmente são os livros de História, "porque ficou mais caótico e engraçado, o que era meu objetivo". Como era de esperar, a maioria das ilustrações não faz a menor alusão ao tema a que se refere.

O livro é um de seus mais experimentais trabalhos com texto. Sebastião embola realidade com uma ficção recheada de dados absurdos — José Bonifácio, por exemplo, nasceu em 1902 e morreu em 1838, "tendo portanto vivido -64 anos" e transforma uma exaustiva quantidade de notas de rodapé em protagonista da obra, alternando português arcaico, espanhol, inglês e francês, numa paródia enlouquecida e "essencialmente lúdica, o que a História não é, nem pode ser. A História é coisa de gente grande e, quase sempre, de gente grande séria, o que não chega a ser um elogio".

Quase todos os autores que se debruçaram sobre o país estão lá — do século XVI aos precursores do Brasil moderno. Sem, necessariamente, terem dito as frases que Sebastião lhes atribui. "Jovem Imperador em Flor", o verbete destinado a Dom Pedro II, por exemplo, após apresentar o rei como um "frenético punheteiro", traz notas provenientes de Sérgio Buarque de Holanda, Gilberto Freyre, Thomas Ewbank e Sebastunes Nião. "A mistura resultou tão violenta que muitas vezes eu mesmo me perdia entre verdade e mentira."

Jovem Imperador em Flor

Aos 15 anos, bonito e juvenil Imperador, era Dão Pedro II frenético punheteiro,[1] indiferente às arengas do velho padre confessor, que destinava adúlteros, sodomitas, assassinos e masturbadores à eternidade dos tormentos infernais (e suas variantes: o inferno dos tormentos eternos, os tormentos infernais da eternidade).

Majestáticas, embora discretíssimas (e por isso mesmo só conhecidas de historiadores xeretas), como se concretizariam as Imperiais Bronhas da jovem Majestade? Assim:

Despida Sua Alteza dos majestosos trajes, e de novo vestida, com o macio e imperial pijama, pergunta-lhe o valete de câmara, reclinando as esperançosas costelas:

- Desejais mais alguma coisa, Majestade?

A timorata Majestade, após breve e inútil silêncio, sua barba enorme crescendo no futuro,[2] responde num murmúrio:

- Sim, bata-me uma punheta!

Então, sem mais delongas, com servil delicadeza,[3] ajoelha-se o valete de espadas entre as pernas abertas de Sua Majestade e. Abre-lhe a braguilha e. Fica de pau duro e. Pensa tirar todo o pijama e. Enrabar o jovem Imperador e. Mas este não é bobo nem nada, e ordena, intimorato:

- Só punheta, valete!

O valete de cócoras cumpre então, e de boa vontade, seu último dever do dia, embora ainda de pau duro, com suas mãos quentes e macias, e vê Sua Alteza esporrar em pleno ar, com a boca aberta e. Os olhos entrecerrados e. Gemendo e. Combalido.

Fecha-lhe depois, com decepcionada

CAPÍTULO I: REALISMO UNILATERAL

Na rua que hoj se chama João XXIII, em Vila Rica do Ouro Preto, morava nos áureos tempos uma estranh senhor mamaluc, bastante feia, desdentad e de voz estrident. Teria seus quarent e cinco anos e peitos caídos, se fosse possívl investigar-lhe os peitos por baixo do casacão de algodão que usava sempre, fosse invern ou verão.

Debruçad na janel dos fundos de uma casa modesta, tal senhor namorava o centro luminoso da bela vila, onde ouvidores tropeçavm em sonhadores, vigários freqüentavm usurários, amants desfilavam diamants.

Debruçad na janel da frente, odiava os morros arredondads, imaginando uma época em que aquel rua fosse povoada por gent e não por tatus; por menins e não por gambás, ratos e passarinhs. Sim: sua casa fora construída com a frent para os morros e os fundos para a povoação, contingências da topografia. Sim: como tanta gent, também ela sonhav o impossívl sonho de riqueza e podr.

Lá embaixo, Vila Ric resplandecia.[1] Decerto o ouro rareav e sabia-se que um tal Tiradents fora enforcad. Mas também é certo que a mulher pouco se lixava para tudo aquilo. Só o brilho da riqueza ostensiva lhe entrava pelos olhs apaixonads.[2]

CAPÍTULO II: NATURALISMO CONDENSADO

Naquel últim dia de dezembr de 1799, enquant o aleijad roncav no quart, a mamaluc estav profundament irritad. O sol endurecia as nuvns. O

ferrando peixes nos rios largos, e chumbando veados nos carrascais - quando vinham as águas e seus arautos acampavam e semeavam milho e feijão, seu sustento mais degustável.[1] Enquanto as hastes espigavam e os legumes bageavam, batiam atrozes punhetas com mãos sujas,[2] e brincavam de cavacar ouro nos peitos verdes dos morros e nas coxas líquidas dos riachos. Até que um dia, plantada a roça grande em triste vale, penumbroso e sombrio, neblinoso e austero, a mão tremeu sob o brilho sagrado e desumano.

Fernão Dais Pias era já um punhadinho d'ossos, solitário e triste, enterrado às pressas (*As I lay dying,[3] deponho nas mãos de filho e genro, herdeiros de meu pesadelo salomônico, sendo eu rico de idéias e de força, exceto para partir o pescoço aos miasmas das febres, deponho pois em suas mãos tudo o que existe neste vasto e aterrador*

Tempos de Paz

Deitados ao sol, um mendigo e seu cachorro. Na perna esquerda do mendigo, grandiosa pereba. Delicadamente, a lixosa língua do serviçal canino remove os bichos da nutritiva goiaba. Deitada ali perto, uma mendiga enfia o indicador no cu, mexe de um lado para o outro, para dentro e para fora, depois tira o dedo, cheira, examina ao sol e lambe. Deitados em frente, dois garotinhos fedorentos dormem sobre pedaços sujos de papelão. Zumbem alegremente centenas de moscas verdes. Sobre a boca aberta do menor, enorme moscão balança o bundão chamando a turma. Ninguém aparece, pois divertem-se à beça voando para lá e para cá, patinhas sujas de catarro, bosta, pedacinhos de coisas podres e podres coisas em pedacinhos.

O moscão resolve entrar sozinho. Está bem escuro lá dentro. Cheiro de dente podre delicioso. Entra mais. A boca se fecha. Rola de rir o pai do garotinho com a infelicidade do moscão. Bem limpo o dedo, a mãe reconheça a operação, indiferente à triste sorte do moscão, coitadinho.[1]

vivem os militares palmares sem os recorrentes avatares. O marechoço escasso de pescoço caiu de avião e morrão. Antão riram xis hienas e se cantaram zês hinos, até que germinaram de ossos e destroços veros historiadores que, recolhendo tortoradores e dores daqui e dali, tornaram-se doutores nos tristes acontecimentos. Para maiores informes sobre o país, os sobreviventes e os generintes seguintes, favor consultá-los, aos veralos.

Quanto aos bilhares de puxa-sacos (que de graça impedem a desgraça da humanidade, incapaz de sobreviver sem tais comensais da cobiça e da carniça), mudaram-se na nau de Noé para os novos poderosos, como fazem os carrapatos[2] nos matos, e nesse ato amaciam (amaciando os couros dos touros) os sapatos que nos levam ao trabalho, e os coturnos que nos levam ao borralho.

Castro Alves

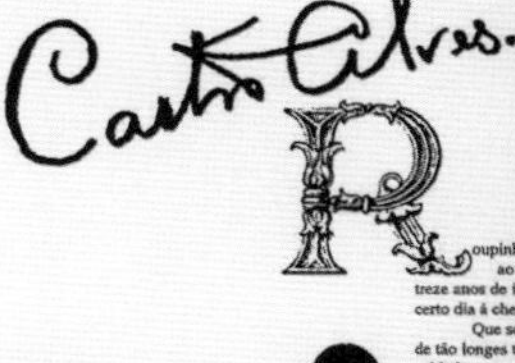

Hans Staden encontra Carlos Zéfiro na ilustração do verbete "Abertura dos Portos"

Sacanagem Pura

1995

92 PÁGINAS

21 X 26 CM

48

MAS QUEM SERÁ BOBO,[1] SE NÃO FOR O POVO?

Um dos meios ortodoxos de conquistar a boa vontade das pessoas é sem dúvida puxar-lhes o saco. Qualquer psicólogo de propaganda (ou de botequim) tem a fórmula: você me elogia, sei que o elogio é mentiroso, mas mesmo assim não o contesto. Eu o admito como verdadeiro, e passo a ter excelente impressão sua, de você, que me elogiou.

É por isso que encontramos tantos anúncios com elogios explícitos a pessoas, entidades, associações, governantes. Não importa que sejam mentirosos, simplórios, ocos, superficiais. Importa o elogio - e basta.

Este anúncio da Rede Globo[2] integrou uma de suas periódicas campanhas e faz parte da briga eterna pela audiência - e contra a concorrência. Sentindo-se em perigo, a emissora partiu para o contra-ataque. Mas, da primeira à última frase, é um tal de jogar confete no leitor, e fumaça nos olhos da leitora! Em nenhum momento se diz - sejamos justos: nenhuma empresa diria - que o único objetivo da Rede Globo é obter os maiores lucros ao menor custo.[3]

Também não se trata de cultura e educação, isso é apenas saracoteio lingüístico. Tudo o que ela pretende - mas não pode, não deve e não quer dizer - é manter as pessoas, o maior número possível delas, agarradas ali, presas aos programas que transmite, pouco importando seu conteúdo (ao contrário, obviamente, do que diz o anúncio), desde que as pesquisas de audiência lhe sejam favoráveis, como estamos carequíssimos de saber.

Todo o anúncio é puro salamaleque, do mais demagógico salame.[4] Claro que seus autores sabem que nada daquilo - ou muito pouco - chega perto da verdade, e que sabemos há milênios que não é verdade. Mas, como também sabemos muito bem, nós e eles, uma das leis fundamentais da propaganda diz que a repetição, como o elogio, cria a verdade.

E é a pura verdade.

1. A palavra "bobo" só entra aqui porque rima com "Globo" e é, no contexto, uma palavra *arrulho* (destinada não a significar, mas a estabelecer empatia com o receptor). Se a emissora se chamasse "Rede Brasil", a palavra certamente seria "imbecil". Mas como "imbecil" é muito forte (uma palavra própria da linguagem *ronco*, de ameaça ou agressão), talvez o criador do slogan pensasse duas vezes antes de explicitar sua idéia.

Um dos riscos da comunicação conotativa é gerar o significado contrário na mente do receptor. Assim, "o povo não é bobo" se transforma facilmente, numa mente mais ágil ou menos entorpecida, em "o povo é bobo". Só grandes corporações ou ditaduras não se importam com tal efeito bumerangue, pois seu poder de

Lançado numa edição conjunta com a terceira tiragem de **Somos Todos Assassinos**, o livro de ensaios gira em torno do mesmo tema de seu predecessor, a publicidade. Aqui, porém, a estrutura narrativa criada por Sebastião é outra: anúncios publicitários reais, coletados da revista *Veja* já com a ideia do livro em mente, funcionam como par narrativo de ensaios nos quais o autor dispara pesada munição sobre um de seus alvos favoritos.

49

O POVO SABE DAS COISAS.

Os meios de comunicação têm obrigação de prestar serviços ao povo.

A Rede Globo realiza um trabalho permanente de interesse comunitário, através de programas específicos e de mensagens veiculadas nos intervalos comerciais.

O Telecurso, por exemplo, é um modelo de educação à distância. Sem exigir freqüência nem mensalidade, supera as expectativas, alcançando altos índices de aprovação.

Durante todo o ano, a Globo cria e produz campanhas que prestam serviço, auxílio comunitário e informação.

O povo sabe das coisas. Sabe que o poder de comunicação da Rede Globo é utilizado como instrumento a serviço da sua saúde, da sua educação e da sua cultura. E que pode contar com todo tipo de orientação.

Isso faz com que o efeito destas mensagens seja sempre rápido, eficiente e duradouro.

O resultado é uma excelente participação de todos os setores da sociedade e uma conseqüente melhoria das condições de vida do povo.

O POVO NÃO É BOBO. PREFERE A REDE GLOBO.

Isto É, 14/09/88. Policromia.

Pseudo Mais!

1996
04 PÁGINAS
58 X 36 CM

Na época, o suplemento dominical "Mais!" era o caderno especial da *Folha de S.Paulo* voltado à cultura. Sebastião criou uma edição idêntica ao original – mesmo nome, papel, formato e diagramação – dedicada a um tema único: Sebastião Nunes. Ou melhor, Sebunes Nastião. "Sempre gostei muito de transformar realidades culturais em irrealidades e vice-versa."

Novamente, a tiragem de 500 exemplares foi produzida a duras penas, já que muitas gráficas não aceitaram executar o trabalho. Ao tomar conhecimento da obra, o jornal ameaçou processá-lo, mas desistiu após Sebastião escrever uma carta-resposta à ameaça e enviá-la à Folha e também aos 250 destinatários que haviam recebido uma cópia do PSEUDO MAIS!

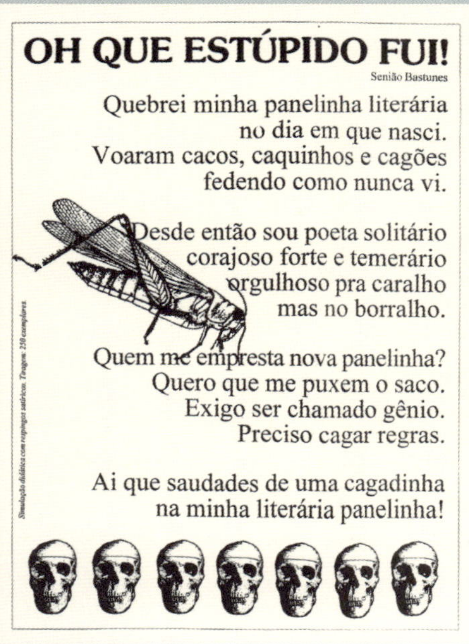
OH QUE ESTÚPIDO FUI!

Senião Bastunes

Quebrei minha panelinha literária
no dia em que nasci.
Voaram cacos, caquinhos e cagões
fedendo como nunca vi.

Desde então sou poeta solitário
corajoso forte e temerário
orgulhoso pra caralho
mas no borralho.

Quem me empresta nova panelinha?
Quero que me puxem o saco.
Exijo ser chamado gênio.
Preciso cagar regras.

Ai que saudades de uma cagadinha
na minha literária panelinha!

5
quinto caderno
FOLHA DE S. PAULO

mais!

ilustrada + livros + ciência

Domingo, 14 de janeiro de 1996 1

*SEBUNES NASTIÃO**

E se fosse verdade?

Em entrevista exclusiva à Folha, depois de mais um fracasso literário, o ex-poeta Sebastião Nunes diz o que pensa sobre tudo e sobre nada.

Os passaralhos foram incluídos por Jung entre as mais banais e recorrentes representações arquetípicas. O passaralho acima, criado por Sebastunes Nião, é uma das vinhetas principais de seu próximo livro, *Decálogo da Classe Média,* do qual publicamos uma das doze (sic) leis e alguns de seus desdobramentos. E ainda: poema sobre panelinhas literárias e ensaio sobre poética.

* *SEBUNES: de sebo. NASTIÃO, do inglês* nasty*: sujo, grosseiro, desagradável, etc.*

Decálogo da Classe Média

1998

CAIXÃO DE MADEIRA CONTENDO IMPRESSOS DIVERSOS

28 X 35 X 10 CM

Talvez a mais célebre (e desvairada) loucura de Sebastião, 120 caixões de madeira enviados pelo correio a seus mais fiéis apoiadores, cada um contendo não apenas um livro com as três primeiras leis do referido decálogo como também um livreto mostrando a sequência visual do cérebro humano devorado por ratos, além de adesivos, postais, cartões de visita e outro punhado de papéis efêmeros feitos para celebrar o enterro simbólico da classe média.

Como todos os projetos de Sebastião, a obra não se satisfaz com a invenção formal: seu texto é uma divertidíssima e impiedosa sátira aos "inclames", os "indivíduos de classe média". Isso fica evidente ao se comprovar como a reedição em versão simplificada — apenas o livro com as três leis, publicado em 2000, pela editora Altana (que também relançou alguns dos livros anteriores de Sebastião) — é leitura das mais prazerosas. Não há como, porém, resistir ao sensacional caixão da versão original, produzido junto com um artesão de Sabará, Carlinhos Pelé, e que foi alvo de exposições em Ouro Preto, Belo Horizonte, São Paulo e Rio de Janeiro. "Para escolher como fazer, visitamos uma funerária e discutimos o assunto lá, imagine a cara do vendedor, que não entendeu nada."

88

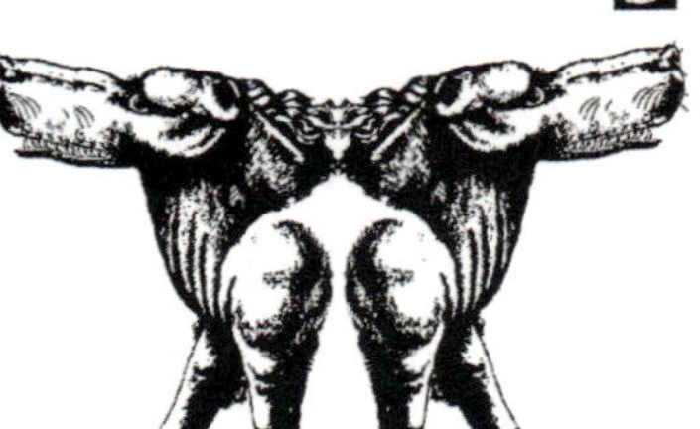

Rara fotografia das auras
de um penclame e respectiva buclame.

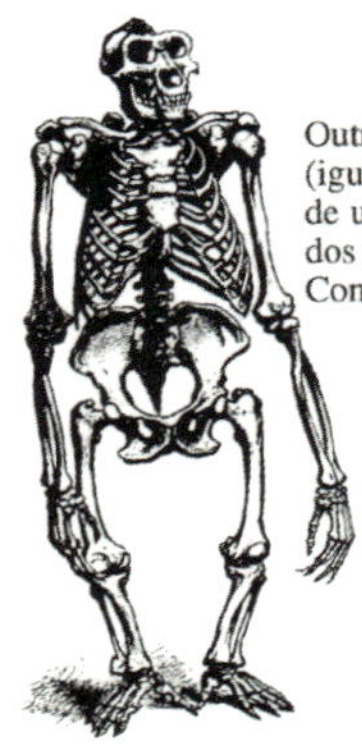

Outra foto de aura
(igualmente rara)
de um representante
dos inclames no
Congresso Nacional.

89

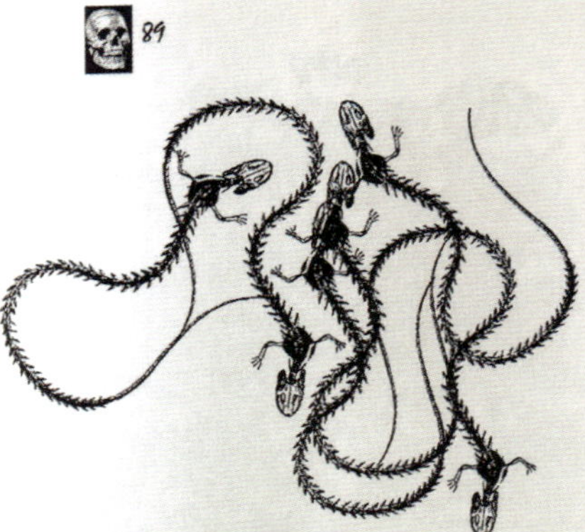

Criclames brincando. Foto aural.

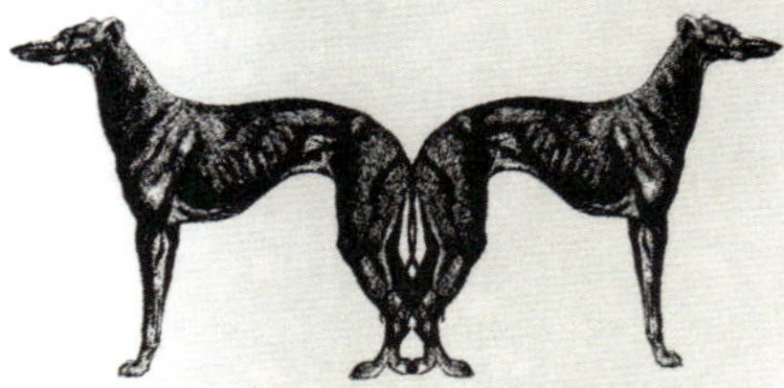

Casal de inclames após a cópula. Foto aural.

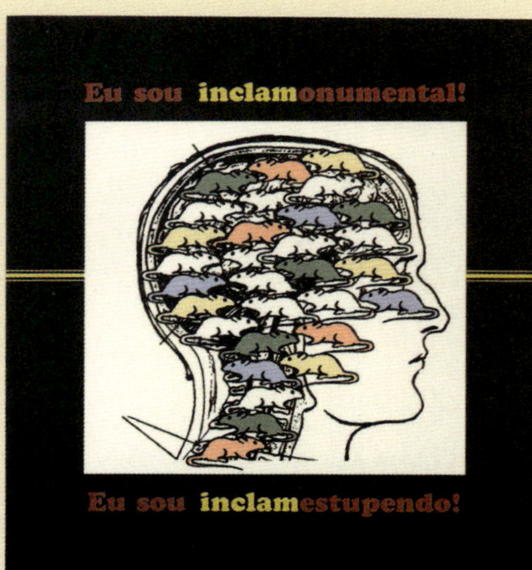
Eu sou inclamonumental!
Eu sou inclamestupendo!

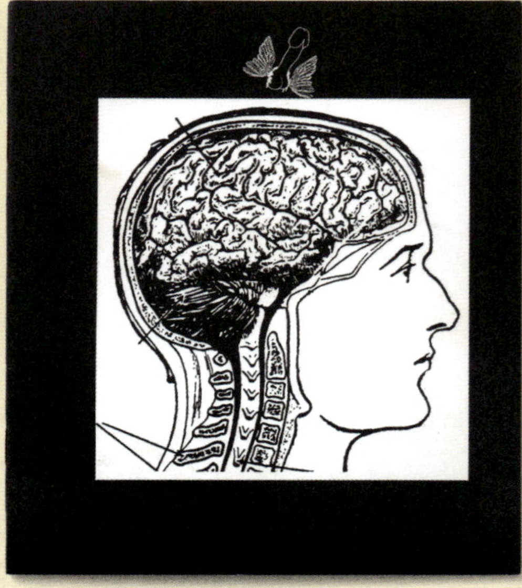

**Projeto de adesivo para carro
e moto de penclames e buclames
xiques (à venda nos super, hiper,
mega, giga e teramercados)**

Fábula moderna sobre
o que poderia ser mas não é,
o que seria se fosse possível,
o ser despojado de tudo,
o tudo atulhado de nada,
a impossibilidade do possível,
a sutil beleza da grossura,
o nada abraçado ao zero.

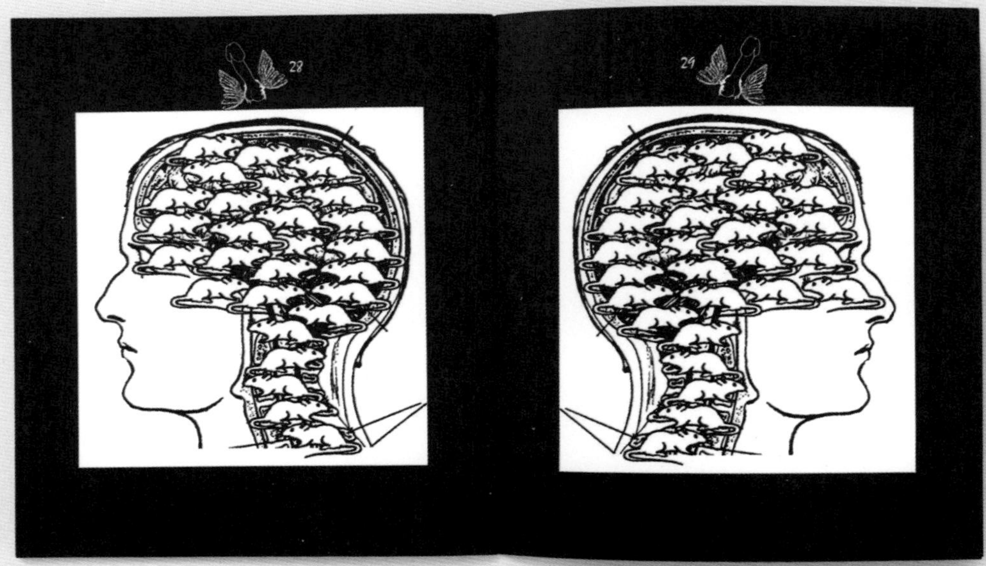

O ENTERRO DA CLASSE MÉDIA

Enterro simbólico[1] dos inclames[2]
e seus clones físicos, psíquicos e semânticos,

inspirado na primeira parte
do segundo maior poema do século,[3]

comemorando os 44 anos de
descoberta do *efeito classe média*,[4]
por Millôr Fernandes,

e dedicado a todos os que sabem que,
reproduzindo-se por clonagem e constituindo
a imensa maioria da espécie humana, a classe
média está, em termos de evolução, morta.

1. Como tantos milhares de enterros simbólicos em todos os tempos e lugares, que nunca levam a nada, mas servem ao menos para chatear os enterrados.

2. Inclame: indivíduo de classe média.

3. O segundo maior poema do século é *The Waste Land,* de T.S.Eliot; sua primeira parte é *The Burial of the Dead.* O maior poema do século é *Howl,* de Allen Ginsberg. E não se trata de colonialismo cultural ou lingüístico pois a poesia, ao contrário dos canalhas, oportunistas e demagogos, não tem pátria.

4. "A classe média inventa o turismo, depreda os monumentos, polui a paisagem, corrompe os países, conspurca as nacionalidades, igualiza o mundo. Por onde ela passa não cresce a grama." Millôr Fernandes, *Trinta anos de mim mesmo.*

Quarta capa e capa de O Rei dos Pássaros *(2000)*

Virado o século, Sebastião continuou ativo, lançando o impagável **Elogio da Punheta & O Mistério da Pós-doutora** (Lamparina, 2004), além das reuniões de crônicas **Adão e Eva no Paraíso Amazônico** (2009) e **Começa a Envelhecer a Mulher Mais Bela do Mundo** (2017).

Também fundou, em 2000, a Dubolsinho, editora voltada à literatura infantojuvenil. Ainda que elaborada para "ajeitar um meio de vida regular, bem comercial e de acordo com as regras do mercado", otimizando custos de produção ao adotar formatos e acabamentos padrão, não é difícil encontrar em seu catálogo traços da personalidade de seu editor. Como em **O Rei dos Pássaros**, em que o título está impresso espelhado na quarta capa, dialogando com um texto informativo da capa que já funciona como parte da narrativa e não como elemento paratextual. Apesar das dezenas de livros lançados, a editora sofreu — assim como todo o segmento infantojuvenil — com a suspensão dos programas governamentais do início da década. Sebastião, porém, toca em frente, completando cinquenta anos de carreira com uma obra que esbanja vitalidade. Se seu nome não circula por ambientes mais amplos, não se engane: sua lista de admiradores não é pequena. E, mais importante do que isso, forma um time extremamente bem escalado. Que Sebastião Nunes mereceria um reconhecimento muito maior, isso é indiscutível. No entanto, talvez seja pedir demais de tempos tão inclâmicos quanto os nossos.

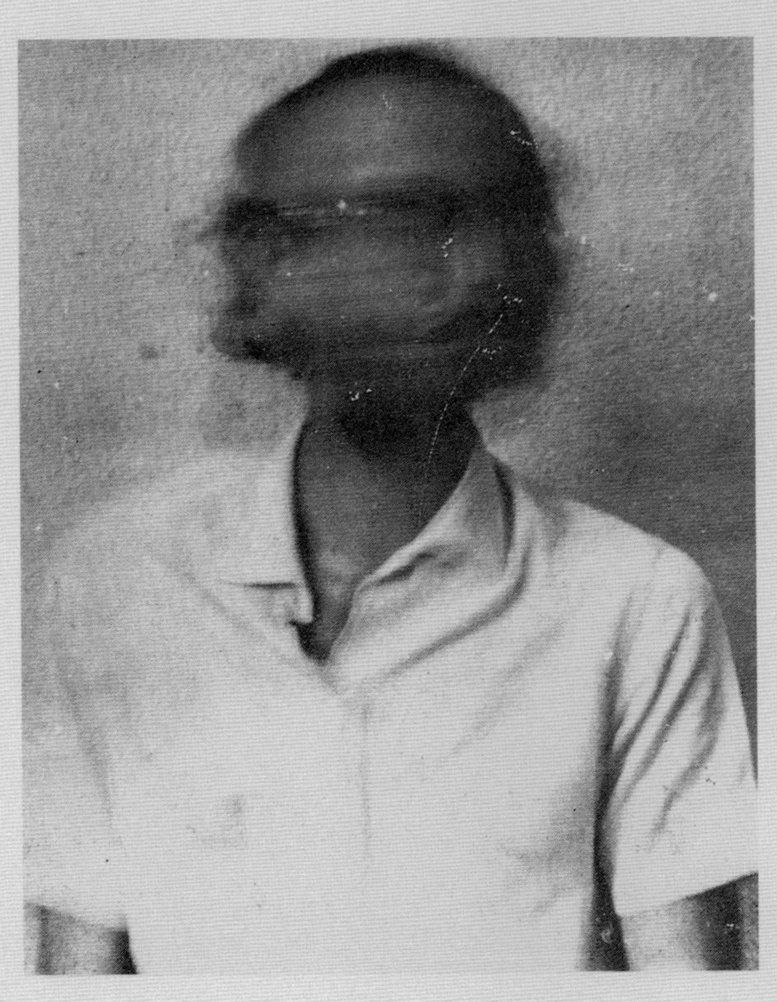

Esta coleção, o nome já diz, busca destacar itens específicos da produção impressa. Seu critério de seleção é assumidamente desorganizado ("particular", se preferir): valem medalhões, valem obscuros; antigos ou contemporâneos; passadela por obras amplas ou olhar detido sobre algum detalhe; etc. etc. Ela também não demarca territórios nem aponta vertentes. Pelo contrário. Seu objetivo não é o de direcionar gostos pra lá ou pra cá, mas sim estimular cada um na elaboração de seu cânone gráfico particular.

Gustavo Piqueira é o responsável pela curadoria e pelos textos dos livros da coleção – bem como por eventuais desacertos, imprecisões ou escorregadelas.

Os depoimentos de Sebastião Nunes que costuram boa parte dos textos deste livro foram retirados de entrevistas que ele deu a Fabricio Marques, Claudio Daniel e Ademir Assunção, além de conversas diretamente com Gustavo Piqueira. Fabricio Marques, aliás, é autor da mais extensa publicação sobre o artista editada até hoje, "Sebastião Nunes", lançada pela Editora UFMG em 2008.

Todas as imagens foram fotografadas na Casa Rex a partir dos livros originais.

Este livro é composto em Mercury, Chalet e Lulo Clean.

Suas 48 páginas foram impressas na gráfica Pigma em papel offset 150g/m². A cinta foi impressa em serigrafia, em papel Colorplus Fidji 180g/m², nas oficinas gráficas da Casa Rex.

Foram produzidos 1.000 exemplares.

Texto fixado conforme as regras do novo Acordo Ortográfico da Língua Portuguesa (Decreto Legislativo n.º 54, de 1995).

Edição geral: **João Varella e Cecilia Arbolave**
Projeto gráfico: **Gustavo Piqueira / Casa Rex**
Revisão: **Trisco Comunicação**

1.ª edição, 2018

Dados Internacionais de Catalogação na Publicação (CIP) de acordo com ISBD
Odilio Hilario Moreira Junior – CRB-8/9949

P666c Piqueira, Gustavo
Sebastião Nunes: Delirante Lucidez / Gustavo Piqueira ; organizado por Gustavo Piqueira. – São Paulo : Lote 42, 2018.
48 p. : il. ; 14cm x 24cm. – (Gráfica Particular)
Inclui apêndice.
ISBN: 978-85-66740-37-0
1. Literatura brasileira. 2. Nunes, Sebastião. I. Título.

CDD 869.8992
2018-1471 CDU 821.134.3(81)

Sebastião Nunes: Delirante Lucidez é o livro **nº 34** da Lote 42.

lote42.com.br @Lote42